Zip It!

by Miriam Sklar

ISBN: 978-1-338-75091-1
Illustrated by John Lund

Published by Scholastic Inc., 557 Broadway, New York, NY 10012

10 9 8 7 6 5 4   68   25 26 27/0

Printed in Jiaxing, China. First printing, January 2021.

Pants zip.

Sweaters zip.

Coats zip.

Boots zip.

Bags zip.

Backpacks zip.

Tents zip!